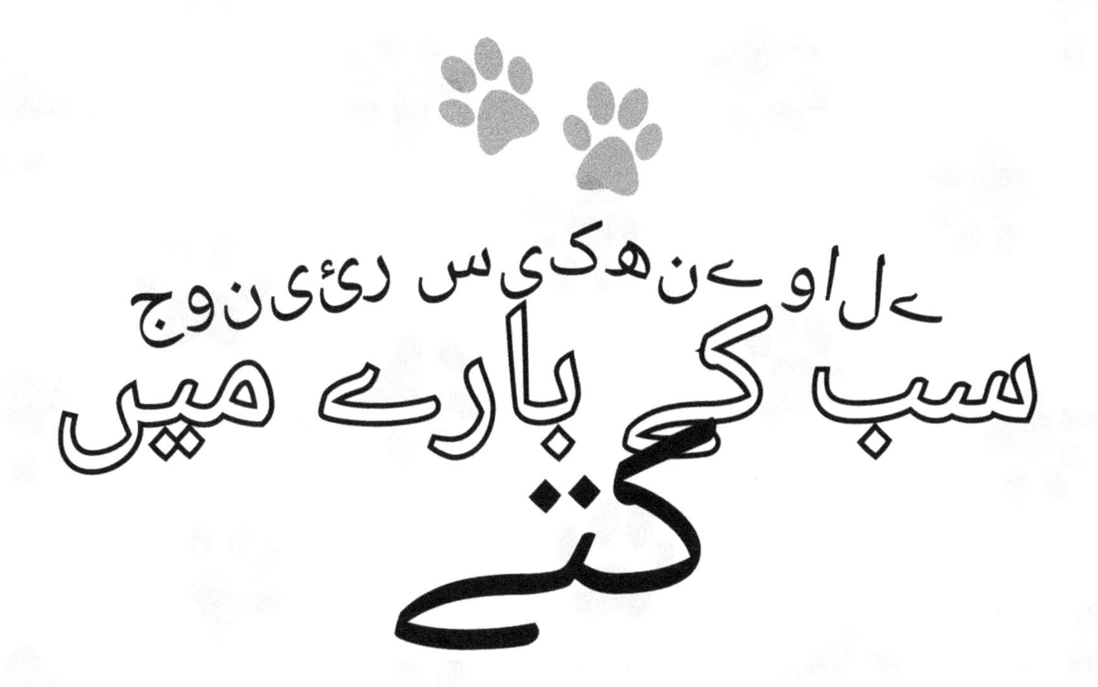

جونیئر سیکھنے والے

سب کے بارے میں کتے

شارلٹ تھورن

www.thomasinemedia.com
آئی ایس بی این: 9798868987762

جونیئر سیکھنے والے

سب کے بارے میں
کتے

شارلٹ تھورن

کتے کو اکثر انسان کا بہترین دوست
کہا جاتا ہے۔ وہ حیرت انگیز جانور
ہیں جو لوگوں کے ساتھ بہت طویل
عرصے سے رہتے ہیں۔

کتوں کا پالنا سارا راستہ سرمئی بھیڑیے تک جاتا ہے۔ گھریلو بنانے کا مطلب یہ ہے کہ انسانوں نے ہمارے ساتھ رہنے کے لیے ایک جانور کو پالیا۔

منتخب افزائش نسل کی وجہ سے،
انسانوں نے کتوں کے لیے مختلف قسم
کی ملازمتیں پیدا کی ہیں!

قدیم مصر میں، دیوتا Anubis کے پاس گیدڑ کا سر تھا، جو کتوں سے متعلق ایک جانور تھا۔

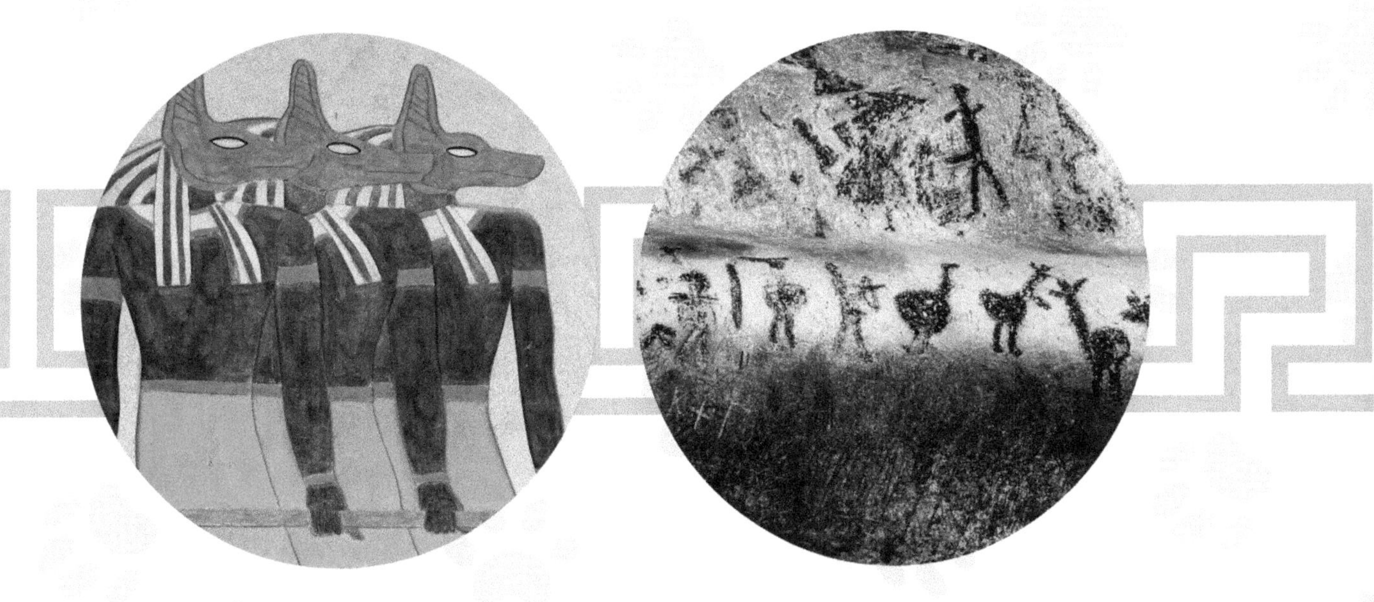

یورپ کی ایک مشہور غار پینٹنگ میں قدیم انسانوں کو قدیم کتوں کے ساتھ شکار کرتے دکھایا گیا ہے۔

جنگ کے دوران، کتے جنگی جانوروں کے
طور پر کام کرتے تھے اور خطرناک
کاموں میں فوجیوں کی مدد کرتے تھے۔

کتوں کا تعلق Canidae خاندان سے ہے۔ Canidae خاندان میں بھیڑیے، لومڑیاں اور دوسرے جنگلی کتے بھی شامل ہیں۔

کتے بہت سی چیزوں
کو سونگھ سکتے ہیں
کیونکہ ان کے پاس
300 ملین ریسیپٹرز
ہوتے ہیں۔

ان کی سماعت ناقابل
یقین ہے۔ وہ اعلی تعدد
کی آوازیں سن سکتے
ہیں جو ہم نہیں کر
سکتے۔

دنیا بھر میں بہت سے مشہور کتے ہیں۔

کتابوں، فلموں Lassie the Rough Collie
اور ٹیلی ویژن میں ایک آئیکن ہے۔ وہ اپنے
ریسکیو مشن کے لیے مشہور ہے۔

بالٹو دی ہسکی نے 1925 میں الاسکا
میں سلیج ڈاگ ٹیم کی قیادت کی۔
انہوں نے بیمار انسانوں کو ایک اہم دوا
فراہم کی۔

رن ٹن ٹن جرمن شیپرڈ کتے کے مشہور
اداکاروں میں سے ایک تھا، اور اسے دنیا
کا پہلا ڈاگ فلم اسٹار سمجھا جاتا ہے۔

آئیے کتوں کی مختلف نسلوں پر ایک نظر ڈالتے ہیں۔

لیبراڈور ریٹریورز
دوستانہ کتے ہیں۔
انہیں پانی سے
محبت ہے۔

جرمن شیفرڈز
ہوشیار اور مضبوط
ہیں۔ وہ کام کرنے
والے کتے ہیں اور ان
میں حفاظتی
خصوصیات ہیں۔

گولڈن ریٹریورز
چنچل، مقبول نسلیں
ہیں۔ وہ خوبصورت
اور شخصیت سے
بھرے ہوئے ہیں۔

بل ڈاگ جھریوں
والے ہوتے ہیں اور
ان کے جسموں میں
ذخیرہ ہوتا ہے۔ وہ
پیار کرنے والے کتے
ہیں۔

بیگلز متجسس کتے
ہیں اور شکار میں
استعمال ہوتے ہیں۔
ان کے فلاپی کان
ہیں۔

پوڈلز کتے کی ذہین
نسلوں میں سے ایک
ہیں، اور انہیں
فینسی کتوں کے نام
سے جانا جاتا ہے۔

Rottweilers

طاقتور کتے ہیں۔ وہ پیارے بچے ہیں۔

یارکشائر ٹیریرز توانائی کے چھوٹے بنڈل ہیں۔ ان کے پاس لمبے کوٹ ہیں اور وہ ہینڈ بیگ میں سفر کرنا پسند کرتے ہیں۔

باکسر چنچل کتے ہیں۔ ان کا ایک مربع سر ہے اور فعال رہنا پسند ہے۔

ڈچ شنڈ لمبے "ہاٹ ڈاگ" کتے ہیں، جو انہیں منفرد بناتے ہیں۔ وہ ایک چھوٹے جسم کے لئے ایک بڑی روح ہے!

سائبیرین ہسکیز
سلیجز کھینچتے ہیں
اور بہت آواز دار،
دوستانہ کتے ہیں۔ ان
کی بھی روشن نیلی
آنکھیں ہیں۔

Doberman
Pinscher چیکنا،
مضبوط کتے ہیں.
وہ محافظ محافظ

ہیں۔

چھوٹے Shih Tzus گود والے کتے ہیں۔ وہ بہت دوستانہ پالتو جانور ہیں۔

عظیم ڈینز بہت لمبے کتے ہیں۔ وہ بہت پیارے ہو سکتے ہیں۔

بارڈر کولیز چست اور ہوشیار ہیں۔ ان میں بہت زیادہ توانائی ہے۔

شیٹ لینڈ شیپ ڈاگ کتے سن رہے ہیں۔ وہ اپنی کھال کی موٹی ایال کے لیے مشہور ہیں۔

Chihuahuas چھوٹے ہوتے ہیں لیکن ان کے دل بڑے ہوتے ہیں۔ جب ان کی عزت کی جاتی ہے تو وہ پیارے ہوتے ہیں۔

Pembroke Welsh Corgis چھوٹے ہیں لیکن ان کے کان بڑے ہیں۔ حیرت کی بات ہے کہ وہ کتے سن رہے ہیں۔

سینٹ برنارڈز اپنے
بچاؤ کے کاموں کے
لیے مشہور ہیں۔ وہ
شریف جنات ہیں۔

آسٹریلین شیفرڈز
ہوشیار اور چست
پالتو جانور ہیں۔ وہ
کتوں کو چرانے کا
کام کرتے ہیں۔

پگ چھوٹے،
جھریوں والی
کٹیاں ہیں۔ ان کی
طبیعت بہت چنچل
لیکن ضدی ہے۔

Alaskan
Malamutes
سلیج کتے ہیں اور
سرد موسم میں
زندہ رہ سکتے ہیں۔

آسٹریلوی ٹیریرز کھردرے کوٹ کے ساتھ چھوٹے ہوتے ہیں۔ وہ عظیم پالتو جانور بناتے ہیں۔

بیسنجی میں یوڈیل کی طرح کی پیلی ہوتی ہے۔ وہ سپر ہوشیار اور آزاد کتے ہیں۔

Bichon Frisés

بادلوں کی طرح نظر
آتے ہیں. وہ خوش
مزاج شخصیت کے
مالک ہیں۔

بلڈ ہاؤنڈز کے کان
جھکے ہوئے ہوتے
ہیں اور سونگھنے کا
زبردست احساس
ہوتا ہے۔ وہ بچاؤ
میں بھی استعمال
ہوتے ہیں۔

بوسٹن ٹیریرز میں ٹکسڈو کوٹ ہوتے ہیں۔ وہ دوستانہ کتے ہیں۔

کیولیئر کنگ چارلس اسپینیئلز بہترین شخصیات کے ساتھ ساتھ خوبصورت کوٹ بھی رکھتے ہیں۔

Cocker Spaniels

کے کان لمبے ریشمی ہوتے ہیں اور ان کے بارے میں ایک قسم کی ہوا ہوتی ہے۔

انگلش ماسٹیف بڑے کتے ہیں! وہ پرسکون اور پیارے ہیں۔

عظیم پالتو Akitas جانور ہیں. وہ اپنی کھال کے موٹے کوٹ کے لیے مشہور ہیں۔

مالٹیز پریپی چھوٹے سفید کتے ہیں، اور وہ توجہ کو پسند کرتے ہیں۔

برمی ماؤنٹین کتے
بہت بڑے لیکن بہت
نرم ہوتے ہیں۔

Pomeranians
چھوٹے کتے fluffy
ہیں۔ وہ بے باک
شخصیت کے مالک
ہیں۔

رہوڈیشین رج بیکس کی پیٹھ پر بالوں کا ایک "ریج" ہوتا ہے۔ وہ شکار کے لیے استعمال ہوتے ہیں۔

آئرش سیٹرز خوبصورت، متحرک کتے ہیں۔ وہ سبکدوش ہونے والی خوبصورتیاں ہیں۔

پیپلن کے کان تتلیوں
کی طرح نظر آتے
ہیں۔ وہ دوستانہ
پیارے ہیں۔

Whippets انتہائی
تیز اور بہت چست
ہوتے ہیں، اور اپنے
انسانوں کے ساتھ
نرم مزاج ہوتے ہیں۔

Shar-peis بہت جھریوں والے ہوتے ہیں۔ وہ وفادار اور حفاظتی کتے ہیں۔

Dalmatians پرجوش کتے ہیں اور فائر ہاؤسز کی سرکاری علامت ہیں۔

کتے ہر روز انسانوں کی مدد کرتے ہیں۔

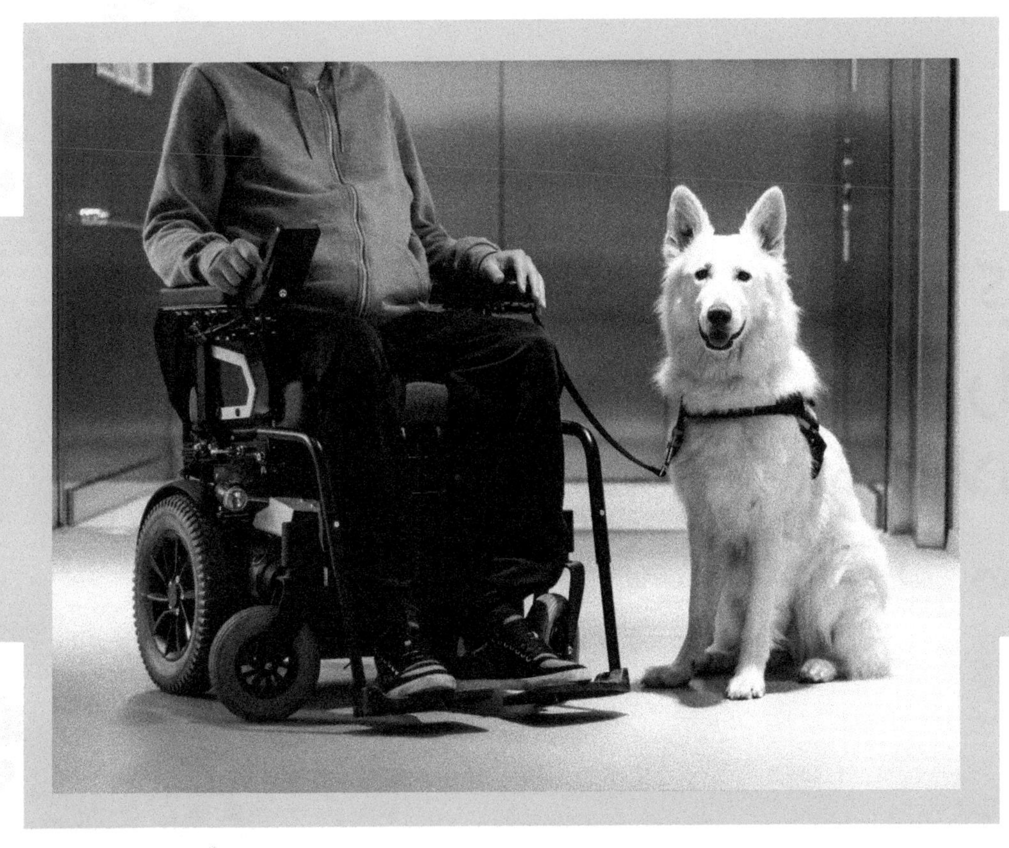

بہت سے کتے خدمت کرنے والے جانوروں کے طور پر کام کرتے ہیں، معذور لوگوں کی مدد کرتے ہیں۔

تلاش اور بچاؤ کے
کتے آفات کے دوران
لاپتہ افراد کی تلاش
کے لیے کام کرتے ہیں۔

کتے پولیس کے شانہ
بشانہ کام کرتے ہیں۔
کتے جو تربیت پاس
نہیں کرتے ہیں وہ پیار
کرنے والے خاندانوں کے
پاس جاتے ہیں۔

تھراپی کتے ہسپتالوں اور عوامی
تحفظ میں لوگوں کو جذباتی مدد
فراہم کرتے ہیں۔

کتے ہماری روزمرہ کی زندگی کا اہم
حصہ ہیں۔ کتوں کی دیکھ بھال کرنا
ضروری ہے۔ وہ نہ صرف محنتی ہیں بلکہ
ہمارے خاندان کے اہم ارکان ہیں!

Milton Keynes UK
Ingram Content Group UK Ltd.
UKHW051026011223
433478UK00005B/11

9 798869 001061